Einaudi Ragazzi

Storie e rime

39

Collana diretta da Orietta Fatucci

ISBN 88-7926-158-4

Le prime due favolette di Alice uscite sul «Corriere dei Piccoli» nel 1961 entrarono a far parte nel 1962 di *Favole al telefono*. La terza favoletta *Alice nella bolla di sapone* uscita sempre sullo stesso periodico nel gennaio 1962 è inedita in volume. Le rimanenti cinque storielle con Alice protagonista sono state rinvenute fra le carte inedite di Gianni Rodari e si pubblicano qui per la prima volta.

Gianni Rodari

Le favolette di Alice

Illustrazioni di Francesco Altan

Einaudi Ragazzi

Le favolette di Alice

Alice Cascherina

Questa è la storia di Alice Cascherina, che cascava sempre e dappertutto.

Il nonno la cercava per portarla ai giardini: – Alice! Dove sei, Alice?

– Sono qui, nonno.

– Dove, qui?

– Nella sveglia.

Sí, aveva aperto lo sportello della sveglia per curiosare un po', ed era finita tra gli ingranaggi e le molle, ed ora le toccava di saltare continuamente da un punto all'altro per non essere travolta da tutti quei meccanismi che scattavano facendo tic-tac.

Un'altra volta il nonno la cercava per darle la merenda: – Alice! Dove sei, Alice?

– Sono qui, nonno.

– Dove, qui?

– Ma proprio qui, nella bottiglia. Avevo sete, ci sono cascata dentro.

Ed eccola là che nuotava affannosamente per tenersi a galla. Fortuna che l'estate prima, a Sperlonga, aveva imparato a fare la rana.

– Aspetta che ti ripesco.

Il nonno calò una cordicina dentro la bottiglia, Alice vi si aggrappò e vi si arrampicò con destrezza. Era brava in ginnastica.

Un'altra volta ancora Alice era scomparsa. La cercava il nonno, la cercava la nonna, la cercava una vicina che veniva sempre a leggere il giornale del nonno per risparmiare quaranta lire.

– Guai a noi se non la troviamo prima che tornino dal lavoro i suoi genitori, – mormorava la nonna, spaventata.

– Alice! Alice! Dove sei, Alice?

Stavolta non rispondeva. Non poteva rispondere. Nel curiosare in cucina era caduta nel cassetto delle tovaglie e dei tovaglioli e ci si era addormentata. Qualcuno aveva chiuso il cassetto senza badare a lei. Quando si svegliò, Alice si trovò al buio, ma non ebbe paura: una volta era caduta in un rubinetto, e là dentro sí che faceva buio.

«Dovranno pur preparare la tavola per la cena, – rifletteva Alice. – E allora apriranno il cassetto».

Invece nessuno pensava alla cena, proprio perché non si trovava Alice. I suoi genitori erano tornati dal lavoro e sgridavano i nonni: – Ecco come la tenete d'occhio!

XII
IX
III
VI

– I nostri figli non cascavano dentro i rubinetti, – protestavano i nonni, – ai nostri tempi cascavano soltanto dal letto e si facevano qualche bernoccolo in testa.

Finalmente Alice si stancò di aspettare. Scavò tra le tovaglie, trovò il fondo del cassetto e cominciò a batterci sopra con un piede.

Tum, *tum*, *tum*.

– Zitti tutti, – disse il babbo, – sento battere da qualche parte.

Tum, *tum*, *tum*, chiamava Alice.

Che abbracci, che baci quando la ritrovarono. E Alice ne approfittò subito per cascare nel taschino della giacca di papà e quando la tirarono fuori aveva fatto in tempo a impiastricciarsi tutta la faccia giocando con la penna a sfera.

Alice casca in mare

Una volta Alice Cascherina andò al mare, se ne innamorò e non voleva mai uscire dall'acqua.

– Alice, esci dall'acqua, – la chiamava la mamma.

– Subito, eccomi, – rispondeva Alice. Invece pensava: «Starò in acqua fin che mi cresceranno le pinne e diventerò un pesce».

Di sera, prima di andare a letto, si guardava le spalle nello specchio, per vedere se le crescevano le pinne, o almeno qualche squama d'argento. Ma scopriva soltanto dei granelli di sabbia, se non si era fatta bene la doccia.

Una mattina scese sulla spiaggia piú presto del solito e incontrò un ragazzo che raccoglieva ricci e telline. Era figlio di pescatori, e sulle cose di mare la sapeva lunga.

– Tu sai come si fa a diventare un pesce? – gli domandò Alice.

– Ti faccio vedere subito, – rispose il ragazzo.

Posò su uno scoglio il fazzoletto con i ricci e le telline e si tuffò in mare. Passa un minuto, ne passano due, il ragazzo non tornava a galla. Ma poi ecco al suo posto comparire un delfino che faceva le capriole tra le onde e lanciava allegri zampilli nell'aria. Il delfino venne a giocare tra i piedi di Alice, ed essa non ne aveva la minima paura.

Dopo un po' il delfino, con un elegante colpo di coda, prese il largo. Al suo posto riemerse il ragazzo delle telline e sorrise:

– Hai visto com'è facile?

– Ho visto, ma non sono sicura di saperlo fare.

– Provati.

Alice si tuffò, desiderando ardentemente di diventare una stella marina, invece cadde in una conchiglia che stava sbadigliando, ma subito richiuse le valve, imprigionando Alice e tutti i suoi sogni.

«Eccomi di nuovo nei guai», pensò la bimba. Ma che silenzio, che fresca pace, laggiú e là dentro. Sarebbe stato bello restarci per sempre, vivere sul fondo del mare come le sirene d'una volta. Alice sospirò. Le venne in mente la mamma, che la credeva ancora a letto; le venne in mente il babbo,

che proprio quella sera doveva arrivare dalla città, perché era sabato.

– Non posso lasciarli soli, mi vogliono troppo bene. Tornerò a terra, per questa volta.

Puntando i piedi e le mani riuscí ad aprire la conchiglia abbastanza per saltarne fuori e risalire a galla. Il ragazzo delle telline era già lontano. Alice non raccontò mai a nessuno quello che le era capitato.

Alice nella bolla di sapone

Alice Cascherina faceva le bolle di sapone. A un tratto forse soffiò troppo forte, fece una bolla piú grossa delle altre e ci cadde dentro con tutta la cannuccia. La bolla sorpassò la ringhiera, il vento la spinse in alto e sarebbe andata a scoppiare contro la grondaia se Alice, buttandosi tutta dall'altro lato, non l'avesse costretta col suo peso a deviare.

«Meno male che è una bolla dirigibile, – pensò Alice per consolarsi. – E meno male che a quest'altezza non ci sono farfalle».

Poco prima, infatti, aveva visto una farfalla e una bolla scontrarsi, e la bolla si era dissolta. A quell'altezza, però, volavano le rondini, perché si avvicinava la sera ed era l'ora, per loro, di fare provvista di moscerini.

«Speriamo che non mi prendano per una zanzara», pensò Alice con un po' di batticuore.

La bolla oscillava pigramente tra un tetto e l'altro. Alice poté vedere distintamente la nonna, uscita sul balcone a cercarla. Povera vecchietta: essa si sporgeva dalla ringhiera e guardava in giú, forse temendo che Alice fosse caduta in strada.

– Nonna! Nonna! – chiamò Alice. Le pareti della bolla tremarono pericolosamente.

– Qua bisogna parlare piano. Uno strillo potrebbe causare un'esplosione o un naufragio.

Il mondo, là dentro, appariva piú colorito, e ogni cosa era fasciata almeno da un arcobaleno, se non da due. Alice si guardò la mano, e anche la mano aveva al dito un arcobaleno piccolo come un anello.

– Dove andrò? Dove andremo? Dove vanno le bolle di sapone, quando non cadono e il vento le porta via?

Non andarono tanto lontano: la bolla si posò sul terrazzo di una villetta di quattro piani, e posandosi scoppiò. Alice venne fuori: qualche goccia di saponata sulla punta delle scarpe era tutto quel che restava della bella bolla di sapone.

Sul terrazzo non c'era nessuno, solo dei panni stesi ad asciugare, in fila su tante corde, e un gatto che si crogiolava agli ultimi raggi del sole tra le antenne dei televisori.

Alice cercò la porta delle scale, scese e tornò a casa.

Alice nelle figure

Pioveva. Non si poteva scendere in cortile e la televisione trasmetteva un programma noioso. Che fare? Alice prese di malavoglia dallo scaffale un vecchio libro di favole illustrato. Guardò la prima pagina con uno sbadiglio, ma alla seconda pagina era già tutta attenzione, come una lumachina quando caccia le corna. Alla terza pagina era cosí interessata che cascò nel libro a capofitto.

La pagina era interamente occupata da un'illustrazione della favola sulla «Bella addormentata nel bosco». Aurora dormiva chissà da quanti anni nel grande letto coperto di fiori. Intorno a lei dormiva tutto il reame. Soltanto Alice era sveglia e stava seduta sugli stivali del principe Filippo che giungeva a liberare Aurora dall'incantesimo. Nel cadere dentro il libro però Alice aveva fatto un certo fracasso. La bella addormentata aprí un occhio e con voce esile domandò:

– È arrivato il principe?

– Sono io, Alice.

– Oh, ma è tutto sbagliato! Io aspetto un principe: mi deve svegliare con un bacio. Tu che c'entri con le favole?

E la bella principessa si mise a singhiozzare con tanta afflizione che Alice, per la confusione cadde nella pagina di sotto, dove il lupo, infilatosi nel letto della nonna, con la bianca cuffia sulla testa pelosa, aspettava di divorare Cappuccetto Rosso:

– Eccoti, finalmente! – esclamò il lupo digrignando le zanne.

– Calma, calma! – implorò Alice. Io non sono Cappuccetto Rosso: lei non ha il diritto di mangiarmi.

– Né a pranzo né a cena?

– Ma nemmeno a merenda!

– Ora vedremo –. E il lupo si alzò a sedere sui cuscini.

Alice si tuffò in un'altra pagina. Anzi, per la fretta, ne attraversò un centinaio e andò a cadere nell'ultima illustrazione del libro.

– Se t'interrogano, – mormorò una voce nelle orecchie, – devi rispondere che sei la governante del marchese di Carabas.

– Io!? Del marchese?...

– Proprio tu. Qui tutto, per mio ordine,

appartiene al marchese di Carabas. Quando passa il re cerca di non sbagliarti, perché, altrimenti, sono guai.

Era il Gatto con gli stivali, naturalmente. Tra i baffetti gli volava un sorriso furbo, piú svelto di un'ape.

– Ma è una bugia, – protestò Alice. – Io non posso dire bugie.

– Nelle favole è permesso, – sentenziò il gatto.

– Ma io non appartengo alle favole: io vengo dal mondo delle cose vere!

– Allora tornaci! – esclamò il gatto. E afferratala per la coda di cavallo, la posò fuori del libro.

Alice guardò dalla finestra. La pioggia era cessata: si poteva scendere in cortile a giocare.

Alice nel calamaio

Una volta Alice Cascherina tuffò il pennino nel calamaio con un po' troppa energia e ci cascò dentro.

– Ahi! – disse una voce al suo fianco.

Alice non vide nessuno, perché l'inchiostro è nero di dentro come di fuori. Domandò:

– Chi è? Che ti ho fatto?

– Mi hai urtato. Sono la parola Fragile e devi trattarmi con delicatezza: avresti potuto spezzarmi.

– Tante scuse, – disse Alice, nuotando un po' piú in là.

Ora cominciava a distinguere certe ombre che nuotavano attorno a lei: talune lunghe, talune corte, talune con un accento sulla testa. Erano le Parole. Il calamaio ne era cosí pieno che non si capiva come potesse contenerne tante: bisognava per forza urtarne qualcuna nel muoversi. Ma per fortuna non tutte si offendevano.

– Salute! – disse allegramente una Parola a cui Alice per sbaglio aveva dato un colpo sulla coda.

– Io sono Alice. E Lei?

– Sono la parola Mattacchione: una ne faccio e una ne penso. Con me si ride.

– Ma io non rido, – osservò Alice.

– Fatti il solletico e riderai. Ahahaha!...

– Spirito di patata! – osservò una voce profonda lí vicino.

– Chi è? – domandò Alice.

– Sono la parola Disastro. Capirà: a me la voglia di ridere non mi viene tanto facilmente!

– Scusi, – domandò Alice, – lei che è tanto serio, potrebbe indicarmi le parole per fare un bel componimento?

– Ah... Io conosco solo parole serissime: Scontro, Terremoto, Nubifragio, Bocciatura, Latterovesciatosulgas e roba simile.

– Grazie tante, – disse Alice. E si allontanò con una mossa brusca che la portò a pungersi sullo spunzone della parola Spina. Ritrovò ben presto l'orlo del calamaio, ci si arrampicò e rivide la luce.

– Ah, respiro! – disse riprendendo fiato e asciugandosi il vestito. – Le parole per il componimento le cercherò dentro di me: nel calamaio c'è troppa confusione.

Alice casca in una lucciola

Una sera Alice Cascherina andò al Gianicolo a vedere Roma illuminata. Invece vide una lucciola che si aggirava tra le siepi e le aiuole accendendo e spegnendo la sua piccola lanterna verde.

– È proprio interessante, – disse Alice. E fece per afferrare la lucciola. Invece cascò dentro il suo lumino.

C'era luce da tutte le parti: era come stare in una lampadina. Poi la luce si spense ed era come stare nella cabina di un aeroplano, buio di dentro e notte di fuori.

La lucciola vagava senza una meta apparente.

– Ma dove vai? – domandò Alice, bussando contro un lato della lanterna.

La lucciola non si era ancora accorta di avere una viaggiatrice clandestina. A sentir bussare si spaventò e corse a posarsi sul cannone che spara a mezzogiorno.

– Chi c'è lí dentro?

– Sono Alice.
– E come ci sei venuta?
– Beh! Ci sono cascata!
– Dove vuoi che ti porti?
– Fa tu.
La lucciola la portò dalla signora delle lucciole, che stava in cima al monumento di Garibaldi, sull'elsa della sciabola sguainata.
– Abbiamo un'ospite.
– Fammela un po' vedere. Hhm! Una bambina. Noi non abbiamo mai avuto bambini. Che cosa mangerà?
– Mangio di tutto, signora: gelato, salame, prugne un po' acerbe...
– Non abbiamo niente di tutto questo. Posso darti della rugiada da bere, ma bisogna aspettare che cada.
– Aspetterò.
Quando cadde la rugiada gliela diedero da bere. Era come l'acqua, ma piú buona. Intanto la signora delle lucciole, sospirando, le confidava le sue preoccupazioni.
– Una volta i nostri lumini avevano uno scopo: la gente usciva di sera per vederci; ma adesso di sera circolano tante automobili, accendono e spengono i loro fari: chi le guarda piú le lucciole? Dovremo mettere i fari elettrici anche noi; oppure ci toccherà ritirarci.
– Dove?

– Chi lo sa? Le automobili vanno anche in campagna!

– Io so un bel posto, – disse Alice. – Volete che ve lo mostri?

Alice guidò le due lucciole fino a casa sua, nella sua camera. Non accese la luce. Si fece posare sul letto e lasciò che le lucciole vagassero per la stanza a loro piacere: dal porta-spazzole al tavolino per fare i compiti.

Alice senza volerlo s'addormentò. Di quando in quando le pareva di svegliarsi e di vedere ancora le lucciole; ma erano i fari delle automobili che passavano nella strada e incrociavano le sciabolate di luce sul soffitto e sulle pareti della stanza.

Le lucciole erano tornate al Gianicolo per godersi in pace l'ultima ora della notte, quando le ultime automobili sono rientrate in garage e le prime del giorno nuovo non sono ancora uscite.

Alice nella torta

Alice Cascherina casca sempre e dappertutto. Una volta cascò in una torta: è il compleanno di Alice. Sul tavolo brilla una torta con 7 candeline; intorno al tavolo ci sono gl'invitati, grandi e piccoli, e la piú piccola è Alice. Ad un tratto gl'invitati s'accorgono che Alice manca. La sua presenza è indispensabile, perché è proprio il momento di tagliare la torta. Che si fa? La cercano in bagno, la cercano in camera da letto, la cercano sul balcone. Che si sia nascosta sotto la tavola per fare uno scherzo? No. Sotto la tavola non c'è Alice: c'è soltanto il cane, che aspetta con impazienza la sua parte di dolce.

– Alice!... Alice!... – la chiamano.

Alice sente e vorrebbe rispondere, ma non può: in questo momento sta attraversando faticosamente un denso strato di panna montata.

Che montagna bianca e profumata! Gli

occhi di Alice non vedono che bianco. Poi, lontano lontano vedono un'ombra rossa che si avvicina. Quando ci sbatte il naso, Alice si accorge che è una ciliegia candita.

Avanti, sempre piú avanti, ma i piedi sprofondano. Il pan di Spagna cede sotto il peso di Alice, sebbene si tratti di un peso tanto leggero che due formiche, con un po' di allenamento, potrebbero portarsi Alice sulle spalle nel loro formicaio. Sotto il pan di Spagna c'è qualcosa di duro. – Sarà la tavola? Sarà il cartone del vassoio? – Alice si china, tocca con il dito, assaggia: è cioccolato. Alice procede in ginocchio, fermandosi ogni tanto a dare una leccatina. Ora ha battuto la testa in uno spigolo. – Ma che spigolo? – In una torta non ci possono mica essere muri, corridoi e camere! Nessuno, che si sappia, ha mai abitato dentro una torta. Neanche i topi, i quali preferiscono scavare le loro gallerie nel formaggio. E che sia parmigiano!

Non è uno spigolo; è una punta. È, precisamente, la punta del sostegno a forma di margherita infilato nella torta. E nel tondo della margherita – come Alice sa – è infilata una delle sette candeline.

Alice si arrampica coraggiosamente su per la candelina. Eccola che spunta dalla superficie zuccherata della torta la sua testina

nel centro della lettera *E* delle parole «Buon compleanno» scritte con il cioccolato.

– Evviva! – gridano gl'invitati, tirando un sospiro di sollievo.

– Golosa! – brontola il nonno.

Ma anche lui è contento che Alice non si sia fatta nulla di male e che ora possa soffiare per spegnere le sette candeline.

Tutti mangiano la torta, ma Alice non ne vuole: la sua parte l'ha già avuta.

Alice nella palla

Alice Cascherina una volta giocava alla palla con le sue amiche. Naturalmente era la piú piccola di tutte e, naturalmente, ad un certo punto della partita, come fu come non fu, cadde dentro la palla. Le amiche la cercarono per un po', poi se ne stancarono:

– Si vede che è andata a casa senza salutarci, – conclusero.

Invece Alice se ne stava raggomitolata dentro la palla, dove tutto era buio e chiamava chiamava, ma nessuno poteva sentirla.

Le bambine gettavano la palla contro il muro, la riprendevano, tornavano a gettarla con una sola mano; insomma facevano un bellissimo gioco...

Una bambina volle gettare la palla piú in alto delle altre e la palla finí su un tetto, rotolando sopra le tegole e si fermò nella grondaia.

– Bisogna chiamare Amleto, – gridarono subito le bambine.

Amleto era il garzone del fornaio e toccava sempre a lui recuperare la palla quando le bambine la gettavano sul tetto.

Amleto prese la scala, l'appoggiò al muro, ci salí con eleganza perché sapeva che le bambine lo stavano ammirando, e stava per afferrare la palla quando udí una vocina che gridava:

– Aiuto!... Aiuto!

– Chi è? – domandò Amleto.

– Sono Alice.

– Dove sei? Ti sei nascosta in qualche nido?

– Ma no!... Sono qui, nella palla. Fammi uscire.

Amleto voltò e rivoltò la palla da tutte le parti, ma non vide buchi.

– Ma di dove sei passata per entrare?

– Uffah!... Non lo so. Che cosa te ne importa? Prendi piuttosto un chiodo e fammi uscire.

Amleto cavò di tasca il temperino, tagliò la palla, liberò Alice e se la mise nel taschino.

Rimasero molto male le bambine quando Amleto riportò loro la palla tagliata che non rimbalzava piú e se la gettavano contro il muro ricadeva a terra con un tonfo sordo.

– Si vede che l'ha beccata un uccellino, – disse Amleto.

– Già; ma doveva essere un'aquila per fare

questo taglio, – ribatterono le bambine sospettose.

E se ne andarono a casa brontolando.

Allora Alice uscí dal taschino di Amleto e corse a casa a rompere il salvadanaio per comperare una palla nuova. E fortuna che non cascò nel salvadanaio prima di romperlo, altrimenti sarebbe ancora là dentro; oppure, chissà, avrebbero portato anche lei alla Cassa di Risparmio.

Indice

Le favolette di Alice

Einaudi Ragazzi

Storie e rime

1 Mario Lodi, *Bandiera*
2 Mario Lodi e i suoi ragazzi, *Cipí*
4 Mario Rigoni Stern, *Il libro degli animali*
5 Leo Lionni, *Le favole di Federico*
7 Gianni Rodari, *Prime fiabe e filastrocche*
8 Roberto Denti, *Orchi Balli Incantesimi*
9 Gianni Rodari, *La torta in cielo*
13 B. Munari/E. Agostinelli, *Cappuccetto Rosso Verde Giallo Blu e Bianco*
14 Gianni Rodari, *Favole al telefono*
15 Lella Gandini, *Ambarabà ciccí coccò*
16 Jean de La Fontaine, *Favole*
17 Gianni Rodari, *Il libro degli errori*
19 Mario Lodi, *Bambini e cannoni*
20 Gianni Rodari, *La gondola fantasma*
24 Gianni Rodari, *Fiabe e Fantafiabe*
25 Francesco Altan, *Kamillo Kromo*
28 *La storia di Pik Badaluk*
32 Gianni Rodari, *Gli affari del signor Gatto - Storie e rime feline*
33 *Favole di Esopo*
34 Gianni Rodari, *Novelle fatte a macchina*
35 Pinin Carpi, *C'è gatto e gatto*
36 Jill Barklem, *Il mondo di Boscodirovo*
38 Gianni Rodari, *Storie di Marco e Mirko*
39 Gianni Rodari, *Le favolette di Alice*
43 Nico Orengo, *Canzonette*
44 Gianni Rodari, *Zoo di storie e versi*
45 Bianca Pitzorno, *L'incredibile storia di Lavinia*

107 Christine Nöstlinger, *Come due gocce d'acqua*
109 Jackie Niebisch, *Il collegio dei vampiretti - Il finto vampiro*
111 Mino Milani, *La storia di Ulisse e Argo*
112 Lella Gandini, *Ninnenanne e tiritere*
113 Christine Nöstlinger, *Mamma e papà, me ne vado*
114 Nicoletta Costa, *Storie di Margherita*
115 Pinin Carpi, *Il mare in fondo al bosco*
116 Ian McEwan, *L'inventore di sogni*
117 *Storie di papà*
118 L. Gandini / R. Piumini, *Fiabe venete*
119 Beatrice Solinas Donghi, *Il fantasma del villino*
124 Mino Milani, *La storia di Orfeo ed Euridice*
125 Jackie Niebisch, *Il collegio dei vampiretti - Il concorso mostruoso*
126 Daniel Pennac, *L'evasione di Kamo*
127 S. Bordiglioni / M. Badocco, *Dal diario di una bambina troppo occupata*
128 Erwin Moser, *Minuscolo*
129 Roberto Piumini, *La leggenda di Gagliaudo*
130 Susie Morgenstern, *Prima media!*
131 N. Caputo / S.C. Bryant, *Storie e storielle*
132 Sabina Colloredo, *Il bosco racconta*
133 Roberto Piumini, *L'oro del Canoteque*
134 Christine Nöstlinger, *Anch'io ho un papà*
135 Stefano Bordiglioni, *Non dirlo al coccodrillo - Gli animali nel mondo dei bambini*
136 Luciano Comida, *Viviana Gions e le Quattro Tonsille*
137 Roberto Piumini, *La casa arancione*
138 Donatella Ziliotto, *Trollina e Perla*
139 Pinin Carpi, *La regina delle fate*
140 Erwin Moser, *Manuel e Didi - Avventure d'inverno*
141 Stefano Bordiglioni, *Scuolaforesta*
142 G. Quarzo / A. Vivarelli, *Amico di un altro pianeta*
143 Jackie Niebisch, *Il collegio dei vampiretti - L'esame*
144 Antonella Ossorio, *Quando il gatto non c'è i topi ballano*
145 Angela Nanetti, *Ofelia, vacci piano!*
146 Mario Rigoni Stern, *Il sergente nella neve*
147 Christine Nöstlinger, *La famiglia cercaguai*
148 Daniel Pennac, *Io e Kamo*

149 Thomas Tidholm, *Arturo e Babà*
150 Oscar Wilde, *Il fantasma di Canterville*
151 N. Caputo / S.C. Bryant, *Storie per tutti i giorni*
152 Mino Milani, *La storia di Enrico VIII e delle sue sei mogli*
154 S. Bordiglioni / C. Arrighetti, *Sebastiano e i sogni*
155 John Ruskin, *Il Re del Fiume d'Oro - Leggenda della Stiria*
156 Isaac Bashevis Singer, *Una notte di Hanukkah*
157 *Storie per tutte le stagioni*
158 Roberto Piumini, *Giulietta e Romeo*
159 Stefano Bordiglioni, *Scherzi. Istruzioni per l'uso - 52 modi per cacciarsi nei guai*
160 Anne Fine, *Il diario di Jennifer*
161 Daniel Pennac, *Kamo - L'idea del secolo*
162 Erwin Moser, *Manuel e Didi - Avventure di primavera*
163 Roberto Piumini, *Tutta una scivolanda*
164 Rudyard Kipling, *Rikki-tikki-tavi*
165 Luciano Comida, *Un pacco postale di nome Michele Crismani*
166 Roberto Piumini, *Tre sorrisi per Paride*
167 Klaus-Peter Wolf, *Piero e Pierino*
168 Walter de la Mare, *Il Re Pesce*
169 *Do re mi fa - Poesie e filastrocche a volontà*
170 Stefano Bordiglioni, *Guerra alla Grande Melanzana*
171 Wilhelm Hauff, *Piccolo Nasolungo*
172 Angela Nanetti, *Angeli*
173 Erwin Moser, *Manuel e Didi - Avventure d'autunno*
174 L. Gandini / R. Piumini, *Fiabe del Lazio*
175 Sarah Orne Jewett, *L'airone bianco*
176 Sabina Colloredo, *Un'estate senza estate*
177 Luciano Comida, *Michele Crismani vola a Bitritto*
178 Klaus-Peter Wolf, *Piero e Pierino innamorati cotti*
179 J.J. Sempé / R. Goscinny, *Le vacanze di Nicola*
180 Hans M. Enzensberger, *Il mago dei numeri*
181 Louis Pergaud, *La guerra dei bottoni*
182 Bernard Clavel, *Il castello di carta*
183 S. Bordiglioni / R. Aglietti, *Teseo e il mostro del labirinto*
184 Nico Orengo, *L'allodola e il cinghiale*
185 Sebastiano Ruiz Mignone, *Il cavalier vampiro*
186 Eleanor Farjeon, *Elsie Piddock salta nel sonno*
187 Michel Lucet, *Una trappola in bocca, ovvero Le avventure di Cristina Boccaspina e del suo apparecchio dentale*

188 Erwin Moser, *Manuel e Didi - Avventure d'estate*
189 Marie-Hélène Delval, *Gatti*
190 Beatrice Masini, *Olga in punta di piedi*
191 Jutta Richter, *Annabella Ciglialunghe*
192 Daniel De Foe, *Robinson Crusoe*
193 Susie Morgenstern, *Burro d'arachidi a colazione*
194 Uwe Timm, *Mimmo Codino maialino corridore*
195 Donatella Bindi Mondaini, *La casa dei cento orologi*
196 Oscar Wilde, *Il compleanno dell'Infanta*
197 Bianca Pitzorno, *Extraterrestre alla pari*
198 Guido Quarzo, *Il viaggio dell'Orca Zoppa*
199 Wilhelm Hauff, *La storia del Califfo Cicogna*
200 Sigrid Heuck, *Storie sotto il melo*
201 Hans Christian Andersen, *C'era una volta, tanto tempo fa*
202 Donatella Bindi Mondaini, *Il brigante e Margherita*
203 Michel Lucet, *Spaccato in due*
204 Oscar Wilde, *Il figlio delle stelle*
205 Luciano Malmusi, *Triceratopino nella valle dei dinosauri*
206 Harry Horse, *Gli ultimi orsi polari*

Finito di stampare per conto delle Edizioni EL
presso Editoriale Lloyd S.r.l., San Dorligo della Valle (Ts)

Ristampa			
7	8	9	10

		Anno
2003	2004	2005

V 69842131
LE FAVOLETTE
DI ALICE
7a Ristampa
EINAUDI RAG.
Storie e rime
GIANNI RODARI
EDIZIONI EL